Y TRYSOR Y

Y Trysor yn y Fynwent

J. SELWYN LLOYD

Darluniau gan Glyn Rees

Gwasg Gomer
1988

Argraffiad cyntaf—Mai 1988
Ail Argraffiad—Chwefror 1992

ⓗy stori: J. Selwyn Lloyd, 1988 ©

ⓗy darluniau: Glyn Rees, 1988 ©

ISBN 0 86383 491 4

Cyhoeddwyd dan gynllun comisiynu'r
Cyngor Llyfrau Cymraeg

Dymuna'r cyhoeddwyr gydnabod cymorth a chyfar-
wyddyd Adrannau'r Cyngor Llyfrau Cymraeg a
noddir gan Gyngor Celfyddydau Cymru.

Bwrdd golygyddol: Mair Evans (Prif Olygydd)
Irma Chilton
Elspeth Mitcheson

Cyhoeddwyd gan J. D. Lewis a'i Feibion Cyf.,
Gwasg Gomer, Llandysul, Dyfed

PENNOD 1

Rhai direidus iawn oedd y ddau efaill, Siôn a Tudur. Pan oedden nhw ar eu gwyliau mewn carafán ym Mhorth Hebron, fe ddaeth Sarjant Ifans yno i weld eu tad.

'Be mae'r cnafon bach wedi ei wneud rŵan, Sarjant?' gofynnodd Dad a golwg filain iawn arno.

'Os gwela i nhw yn y stesion acw eto,' ebe'r plismon a golwg fwy milain fyth arno ef, 'fe fydda i'n rhoi'r ddau yn y gell ar eu pennau, ac mi fydda i'n taflu'r allwedd yn ddigon pell hefyd.'

'Siôn! Tudur!' gwaeddodd eu tad, ond ni ddaeth yr un o'r ddau i'r golwg. Roedd y ddau yn cuddio y tu ôl i'r garafán drws nesaf.

'Arnat ti yr oedd y bai,' ebe Tudur gan stwffio ei ddwrn i'w geg i'w gadw ei hun rhag chwerthin yn uchel. 'Ti ddywedodd wrtha i am wneud.'

'Yr hen gnafon bach iddyn nhw,' gwaeddodd y Sarjant. 'Welais i erioed rai yr un fath â nhw.'

'Ond be maen nhw wedi . . .?' dechreuodd Dad eto.

'Gollwng pob tamaid o wynt o deiars y car acw,' rhuodd y plismon ar ei draws a rhythu i'w wyneb. 'Wnes i ddim ond picio i'r tŷ i gael tamaid o ginio, a phan ddois i allan yn ôl roedd pob olwyn yn fflat fel crempog.'

'Wel, mae'n ddrwg iawn gen i, Sarjant, ond . . .'

'Car y polîs, o bob car,' rhuodd Sarjant Ifans a'i wyneb fel bitrwt wedi ei ferwi. 'Rydw i'n fodlon cyfaddef fy mod innau'n ddigon direidus pan oeddwn i'n blentyn. Gollwng y gwynt o feic Mistar Huws y Gweinidog lawer gwaith, a hyd yn oed o gar bach yr hen sgwlyn. Ond car y polîs! Yr achlod fawr, fyddwn i ddim yn breuddwydio gwneud y fath beth!'

'Doedd yna ddim car polîs pan oeddet ti'n fychan, y babŵn,' ebe Tudur dan ei wynt a bu bron i'w frawd â thagu.

'Ydach chi'n siŵr mai'r ddau yma wnaeth y fath beth, Sarjant?' gofynnodd Dad yn sydyn a chredai'r efeilliaid fod rhyw fymryn o gydymdeimlad tuag atynt yn ei lais.

7

'Yn siŵr?' ffrwydrodd y llall. 'Wrth gwrs fy mod i'n siŵr. Fedrwch chi ddim methu pethau fel y ddau yna. Maen nhw yr un ffunud â'i gilydd. Roedden nhw'n cuddio y tu ôl i wal yr ardd ac fe fyddwn i wedi eu dal nhw hefyd oni bai . . .'

'Gadewch chi nhw i mi, Sarjant,' ebe Dad wedi blino'n lân arno erbyn hyn. 'Fe wna *i* ddelio â nhw.'

Gollyngodd y ddau efaill ochenaid o ryddhad. Byddai'n llawer haws wynebu eu tad na'r plismon.

'Fe wna i yn siŵr i chi na fyddan nhw yn eich poeni eto.'

'Gobeithio wir,' ebe'r plismon gan gychwyn oddi yno. 'Ond cofiwch chi ddweud wrthyn nhw, os gwela i un o'r ddau o fewn hanner milltir i'r stesion eto, i mewn ar eu pennau y byddan nhw. Dydy pethau fel yna ddim ffit i fod ymysg pobl! . . . Chi piau hwn, syr?' ychwanegodd yn sydyn pan welodd y car wrth ochr y garafán.

'Y . . . y . . . y . . . car?' gofynnodd Dad a golwg hurt arno.

'Ie, y car yma,' ebe'r llall gan gerdded rownd y cerbyd yn araf a byseddu botwm ei boced-cadw-llyfr-bach yr un pryd. 'Welsoch chi'r teiar yma?'

'Y teiar yma?' ebe Dad fel carreg ateb a'i wyneb fel y galchen yn awr.

'Ie, y teiar yma. Hwn ar y chwith ar y tu ôl.'

'*Hen gar* ydi o. Rydw i'n chwilio am un newydd yn ei le,' ebe Dad.

'*Hen deiar* ydi o hefyd,' oedd ateb parod y Sarjant. 'Mae o yn rhy llyfn o lawer.'

'Mae ei do yn gollwng dŵr. Rydw i'n cael trochfa iawn bob tro y mae'n bwrw glaw,' ebe'r llall gan obeithio tynnu ei sylw oddi ar y teiar llyfn.

Roedd ei lyfr bach allan o boced y Sarjant yn awr wrth iddo syllu ar do'r car.

'Car â'i do yn agor sydd gennych chi,' meddai gan wneud wyneb hyll. 'Dydyn nhw yn dda i ddim.'

'Nag ydyn,' cydsyniodd Dad er mwyn cael heddwch. 'Roedd o'n handi ers talwm pan oedd y car yn newydd.

9

Yn enwedig yn yr haf. Cael agor y to a chael teimlo'r gwynt yn eich gwallt, ond rŵan mae o'n gollwng dŵr a rydw i'n chwilio am gar arall yn ei le.'

Cerddodd y Sarjant rownd y car ddwy waith eto a Dad yn dal ei wynt. Yna'n araf, rhoddodd ei lyfr bach yn ôl yn ei boced a chychwynnodd oddi yno. Ond pan oedd ddeg llath oddi wrth y garafán a bron â chyrraedd y car, trodd a gweiddi,

'Teiar newydd, Mistar Jôs ... A hynny cyn gynted ag y medrwch chi, neu fe fyddwch chwithau yn y gell efo'r bechgyn gwirion yna sydd gennych chi!'

Wedi iddo fynd o'i olwg rhoddodd Dad gic i olwyn y car yn ei wylltineb ac yna diflannodd i'r garafán. Edrychodd Siôn a Tudur ar ei gilydd am eiliad ac yna mentrodd y ddau tua'r garafán yn araf a dringo iddi.

Roedd eu tad yn eistedd wrth y bwrdd a'i wyneb yn ddu gan dymer ddrwg.

'Yr hen blismon felltith yna,' taranodd yn wyneb eu mam. 'Does yna ddim byd o'i le ar y teiar a . . .'

Gwelodd y ddau efaill yn dod drwy'r drws a bu bron iddo â thagu. Ond yna, pan oedd y ddau fachgen ar fin troi ar eu sodlau a diflannu o'i olwg, fe ddechreuodd chwerthin tros y lle, chwerthin nes bod y dagrau yn rhedeg i lawr ei ruddiau.

'Dîar mi, rydach chi yn hogia drwg,' meddai. 'Ond eitha gwaith â'r hen sgerbwd, ddyweda i. Mae yna ddigon o wynt yn ei fol o petai'n mynd ati i chwythu'r teiars. Mi fyddai'n gwneud lles iddo gerdded ychydig yn lle eistedd yn y frechdan jam yna o gar o fore gwyn tan nos.'

Wedi iddo ddod ato'i hun fe ddywedodd y drefn yn iawn ond gwyddai'r bechgyn na fyddai cosb iddynt y tro yma, diolch i'r Sarjant am iddo ddarganfod y teiar llyfn ar gar eu tad. Cynigiodd y ddau helpu eu mam i olchi'r llestri brecwast . . . nes iddi weiddi arnynt mewn braw!

'Na wnewch, wir,' meddai. 'Dydw i ddim isio prynu llestri newydd wedi i chi eu torri i gyd. Allan â chi, a pheidiwch â mynd yn agos i swyddfa'r heddlu felltith yna heddiw.'

'Ond mae'n *boring*,' cwynodd Tudur. 'Does yna ddim byd i'w wneud yma.'

Tynnodd allan lond poced o gardiau a lluniau arwyr pêl-droed y byd arnynt a dechrau edrych drwyddynt.

'Allan!' gwaeddodd ei fam eto. 'Edrychwch ar yr haul braf yna a chwithau fan hyn yn gwastraffu amser. Pan oeddwn i eich hoed chi roeddwn i'n falch iawn o gael mynd allan i'r haul. Doeddwn i ddim yn cael mynd ar fy ngwyliau bob haf.'

Gwnaeth Tudur wyneb hyll o'r tu ôl iddi gan wneud stumiau siarad, 'Fedrai fy mam i, dy nain di, mo'i fforddio.'

'Gawn ni fynd i chwilio am drysor?' gofynnodd Siôn yn sydyn. 'Plîs, Mam. Wnawn ni ddim drwg i neb felly. Dydy Dad byth yn mynd â'r teclyn yna allan rŵan.'

'Eich tad piau o,' ebe ei fam yn swta. 'Rhyngoch chi ac o, wir.'

'Plîs, Dad,' gofynnodd Siôn. 'Fe wnawn ni gymryd gofal ohono fo.'

'Wel,' crafodd ei dad ei ben yn araf am eiliad. Roedd o wedi prynu teclyn chwilio am fetel yn arbennig i ddod ar ei wyliau. Fe gostiodd hanner canpunt iddo ac roedd o am chwilio am ddarnau arian yn y tywod wedi i'r bobl fynd adref bob nos. Ond roedd digon o rai eraill wedi cael yr un syniad a phan aeth i'r traeth y noson gyntaf roedd y tywod yn frith o ddynion gyda darganfyddwyr metel yn ysgubo'r tywod. Roedd Dad wedi diflasu ar y teclyn yn barod.

'Ar un amod,' meddai toc gan fynd allan ac agor cist y car lle y gorweddai'r teclyn, '. . . nad ydach chi'n creu helbul i neb heddiw eto . . . a chymerwch chi ofal nad ewch chi i le peryglus . . . a chofiwch chi roi'r teclyn yn ôl yng nghist y car wedi i chi orffen ag o.'

'Ew, diolch, Dad,' gwaeddodd y ddau fachgen gyda'i gilydd ac yna i ffwrdd â

hwy ar eu beiciau wedi i Tudur glymu'r
teclyn wrth gefn ei feic ef.

   I lawr yr allt a heibio i'r fferm â hwy
gan obeithio na fyddai'r hen ffermwr
yn dod allan a'u dal (. . . roeddynt
wedi gollwng y mochyn o'i dwlc y
noswaith cynt!).

14

'Ras i ti, was,' gwaeddodd Tudur pan ddaethant at y groesffordd. 'Cer di heibio i'r hen eglwys ac fe af innau drwy'r dref. Gawn ni weld pwy fydd y cyntaf ar lan y môr.'

Ymaith â Siôn heibio i'r hen eglwys a safai yng nghanol caeau ymhell o bob tŷ a thwlc. Nid oedd y drws wedi ei agor ers blynyddoedd bellach ac roedd gwair uchel yn tyfu hyd y beddau yn y fynwent gerllaw. Yn ôl ei dad roedd yma ysbryd!

Pan oedd ar fin mynd heibio i'r fynwent, daeth gwaedd o'i enau wrth iddo weld dau ddyn yn rhedeg ar draws y ffordd.

'Hei!' gwaeddodd yn uchel gan droi'r llyw yn wyllt i'w hosgoi.

Bu bron iddo â tharo un ohonynt i'r llawr. Ond wrth iddo fynd heibio rhuthrodd y gŵr arall am sedd ei feic a'i stopio'n stond ac mor sydyn fel y saethodd y bachgen dros y llyw. Yn ffodus glaniodd ar y glaswellt meddal oedd yn tyfu ar ochr y ffordd ac arhosodd yno am eiliad, a'i ben yn troi fel melin wynt.

Ni ddywedodd y gŵr air. Taflodd y
beic i ochr arall y ffordd. Roedd ei olwg
yn ddigon i godi ofn ar Siôn. Safai dros
chwe throedfedd o daldra. Rhedai craith
flêr o gornel ei lygad dde i ymyl ei geg.

Roedd ei ddwylo fel dwy raw ac yn
galed fel haearn a'i lygaid yn slei. A
phan agorodd ei geg i chwerthin daeth
rhes hyll o ddannedd melyn i'r golwg.
Chwarddodd nes bod muriau'r hen

17

eglwys yn diasbedain ac yna troi ar ei
sawdl a brysio ar ôl y gŵr arall a oedd
yn llawer llai nag ef. Neidiodd y ddau i
hen fen goch ac i ffwrdd â hwy fel pe
bai holl gythreuliaid y fall ar eu holau.

PENNOD 2

Roedd wyneb Siôn fel y galchen wrth iddo godi ar ei draed yn araf. Wedi iddo eistedd ar y beic crynai ei goesau mor ddrwg fel na fedrai symud cam ac eisteddodd yn ei ôl ar y glaswellt eto. Toc daeth ei frawd i chwilio amdano.

'Siôn!' gwaeddodd mewn braw. 'Be ddigwyddodd? Wyt ti wedi cael damwain?'

Teimlai Siôn yn well yn awr wedi gweld ei frawd. Cododd ar ei draed eto a dywedodd yr hanes wrth Tudur.

'Ond pam?' oedd cwestiwn cyntaf hwnnw. 'Wnest ti rywbeth iddyn nhw?'

'Wnes i ddim byd,' llefodd Siôn gan neidio ar ei feic. 'Doeddwn i'n gwneud dim byd ond mynd heibio ac fe ddaeth y ddau allan o'r fynwent yna . . . Ond wyddost ti, Tudur,' ychwanegodd wedi meddwl yn ddwys am rai eiliadau, 'rydw i wedi gweld yr hen ddyn mawr yna yn rhywle o'r blaen. Rydw

19

i'n cofio'r graith yna sydd ar ei wyneb o a'r llygaid yna fel llygaid llygoden fawr. Nawr, ble ar y ddaear y gwelais i o?'

Wedi munudau hirion o feddwl a chrafu ei ben fe ailgychwynnodd ar ei daith. 'Tyrd, fe awn ni i'r traeth yna i chwilio am drysor,' meddai. 'Rwy'n siŵr fod yna filoedd ar filoedd o ddarnau arian o dan y tywod yna. Fe fyddwn ni yn gyfoethog cyn nos i ti.'

'Digon i dalu am deiar newydd i Dad?' chwarddodd ei frawd.

Anghofiodd y ddau am y dynion wrth iddynt rasio ei gilydd i lawr tua'r traeth. Bu bron i Tudur fynd ar draws cath frech fawr a fu'n ddigon gwirion i redeg ar draws y ffordd o'i flaen a bu agos i'w frawd hedfan dros y llyw eto pan freciodd yn rhy sydyn wrth weld car polîs yn y pellter.

Roedd llawer iawn o bobl a phlant ar lan y môr y bore hwnnw—gormod o lawer i blesio'r bechgyn. Rhoddodd Siôn y teclyn wrth ei gilydd, ac wedi rhoi'r offer clywed wrth ei glustiau

dechreuodd ysgubo'r tywod crasboeth
yn ôl a blaen, a Tudur yn ei ddilyn yn
cario rhaw fechan.

Daeth sŵn i glustiau Siôn ar unwaith,
arwydd fod darn o fetel yn y tywod.
Gwenodd ac amneidio ar ei frawd.
Dechreuodd Tudur dyllu yn y tywod.
Gobeithiai gael darn punt neu hanner
can ceiniog, efallai. Ond siom oedd ar
ei wyneb wrth iddo ddod ar draws hen

dun Coca-Cola wedi ei gladdu. I ffwrdd
â'r ddau eto, ac ymhen hanner awr
roedden nhw wedi dod o hyd i ddeg tun
Coca-Cola, tair hoelen wedi rhydu,
wyth caead potel bop, tun sbam ac un
geiniog.

'Ceiniog. I be aflwydd y mae ceiniog
yn dda?' gwaeddodd Tudur wedi
gwylltio'n lân a thaflodd y darn arian
ymhell i'r môr. 'Fedrwn ni brynu dim
byd am geiniog heddiw . . . Ffortiwn,
wir!' ychwanegodd toc gan droi at ei
frawd. 'Roeddwn i'n meddwl fod
digonedd o arian yn y tywod yma.'

'Fe fyddwn ni'n siŵr o ddod o hyd i
rywbeth cyn bo hir,' ebe Siôn, er ei fod
yntau yn dechrau amau ei eiriau ei
hun yn awr. 'Efallai fod yna drysor
hen fôr-ladron yma. Wyddost ti,
roedden nhw'n claddu trysorau yn y
tywod ers talwm.'

Chwarddodd ei frawd yn uchel.

'Trysor môr-ladron?' meddai. 'Ond
ym Môr y Caribî yr oedd y môr-ladron,
y twmffat. Mae'r fan honno filltiroedd
ar filltiroedd o'r fan hyn. Doedd yna
ddim môr-ladron . . .'

'Wel, smyglwyr 'ta.'

'Doedd smyglwyr ddim yn claddu trysorau yn y tywod, siŵr,' meddai Tudur gan chwerthin eto.

Ni ddywedodd ei frawd air. Roedd wedi mulo'n lân a dechreuodd ysgubo'r tywod eto. Ond roedd Tudur wedi cael hen ddigon ac eisteddodd ar y traeth.

'Does yna ddim byd gwerth ei gael yma,' meddai. 'Waeth i ni roi'r ffidil yn y to ddim a mynd adref . . .'

Ni chymerodd Siôn yr un sylw ohono. Aeth ar hyd y traeth yn wysg ei gefn. Ond yna daeth bloedd sydyn o'i ôl. Trodd Siôn. Roedd wedi cerdded i ganol castell tywod ac wedi ei chwalu'n lân. Wylai'r bachgen bach a eisteddai wrth ei ymyl yn groch, ond yr hyn a wnaeth i Siôn hel ei draed o'r fan ar unwaith oedd gweld tad y bachgen yn codi o'r tywod a golwg fygythiol ar ei wyneb.

'Be wyt ti'n feddwl wyt ti'n ei wneud, y penci?' gwaeddodd yn groch. 'Fedri di ddim cerdded y ffordd iawn fel pawb call?'

23

Nid arhosodd yr un o'r ddau efaill i'w ateb. I ffwrdd â hwy ar draws y traeth, a'r tywod yn codi yn gawodydd llychlyd o'u sodlau gan syrthio i ganol brechdanau cig a brechdanau banana a diod oren y bobl oedd yn cael picnic yma ac acw.

Erbyn i'r ddau gyrraedd eu beiciau roedd bron pob copa walltog ar y traeth yn gweiddi am eu gwaed. I ffwrdd â hwy unwaith eto, y gwynt yn chwibanu yn eu gwalltiau, gan adael y traeth ymhell o'u holau a phan ddaethant at yr hen eglwys arhosodd y ddau i orffwys.

Rhoddwyd y ddau feic i orwedd ar wal y fynwent a gorweddodd Siôn a Tudur yn y glaswellt hir gan synfyf-yrio ar yr awyr las uwchben a gwrando ar gân ehedydd bach i fyny rywle yn yr entrychion.

'Dydw i ddim yn mynd i'r traeth yna eto,' ebe Tudur wedi iddo gael ei wynt ato. 'Does yna aflwydd o ddim byd yno ond hen duniau. Rwy'n siŵr bod mwy o drysorau yn yr hen fynwent yma.'

Cododd Siôn ar ei eistedd yn sydyn.

'Hei, efallai fod yna drysor yn yr hen le 'ma,' meddai a'i lygaid yn llawn cyffro.

Cododd Tudur ar ei eistedd hefyd a gwenu.

'Choelia i fawr,' meddai. 'Pwy fyddai'n claddu trysor mewn mynwent?'

Roedd ei frawd ar ei draed yn awr, yn pwyso ar wal yr hen fynwent ac yn syllu drosti.

'Roedd Mistar Lewis, Hanes, yn dweud fod pobl yn cuddio eu trysorau mewn mynwent ers talwm,' meddai. 'Roedden nhw'n meddwl na fyddai neb yn mynd i fynwent i chwilio am eu trysor rhag ofn i ysbryd gael gafael arnyn nhw.'

Aeth Tudur i sefyll wrth ei ochr.

'Wir?' gofynnodd.

'Perffaith wir. Ddoi di?'

'Os caf i'r teclyn yna,' ebe Tudur.

'Na. I mi y rhoddodd Dad o.'

'Ond y fi sy'n gorfod ei gario. Ar fy meic i mae o, Siôn.'

Ysgydwodd Siôn ei ben eto.

'Fe gei di'r rhain os caf i'r teclyn.' Tynnodd Tudur y cardiau lluniau pêl-droedwyr o'i boced a'u cynnig iddo.

'Ew, mae gen ti gannoedd ohonyn nhw,' ebe Siôn, gan gymryd y cardiau ac edrych arnynt er ei fod wedi eu gweld lawer gwaith o'r blaen.

Rhoddodd Tudur y teclyn wrth ei glustiau ac i'r fynwent â hwy, y ddau yn edrych o'u holau yn ddigon ofnus wrth ymgripio'n araf rhwng y cerrig beddau.

Roedd y gwellt bron yn uwch na'u pennau wrth iddynt gyrraedd muriau'r hen eglwys. Safodd y ddau yno am ychydig gan edrych o'u cwmpas. Nid oedd olwg fod neb wedi bod yn agos i'r hen le ers blynyddoedd ac roedd y glaswellt yn cuddio'r llwybr a arwein-iai at y drws. Aeth y ddau at y ffenest ac edrych drwyddi. Oddi mewn doedd dim ond llwydni a llwch y blynydd-oedd i'w weld.

Yng nghefn yr eglwys, rhwng yr adeilad a'r mur a'i hamgylchynai, roedd rhywun wedi torri'r glaswellt ac wedi ei adael yn flêr hyd y ddaear.

'Chwilia fan hyn,' gorchmynnodd Siôn. 'Mae'r glaswellt yn rhy hir ym mhob man arall.'

Dechreuodd ei frawd chwilio'r llawr â'r teclyn. Bu'n hir nes clywed y sŵn yn ei glustiau a dechreuodd ei galon

guro'n gyflymach wrth iddo weld Siôn yn tyllu â'r rhaw.

'Pedol ceffyl,' gwenodd Siôn gan ei chodi o'r pridd. 'Efallai y daw hon â lwc i ni.'

'Beth am y gornel acw?'

Ond edrychodd Siôn ar ei wats.

'Yr arswyd fawr, mae bron yn ddau o'r gloch,' meddai. 'Mi fyddan nhw'n mynd o'u co os nad awn ni adref i ginio. Tyrd, mae'n well i ni fynd.'

'O, dim ond un tro eto. Fe awn ni wedyn, wir rŵan.'

I ffwrdd â hwy eto nes dod at gornel gysgodol lle'r oedd dwy wal yn cyfar-fod. Ysgydwodd Tudur y teclyn yn ôl a blaen ac yna dyma'r sŵn yn ei fyddaru eto.

'Fan yma,' amneidiodd tua'r llawr.

Plannodd Siôn flaen miniog y rhaw i'r ddaear las.

'Tudur,' meddai a syndod lond ei lais, wrth i ddarn sgwâr o dywarchen godi o dan y rhaw. 'Mae rhywun wedi bod yn tyllu yma yn barod. Edrych, maen nhw wedi torri'r tyweirch yma yn ofalus cyn eu codi ac wedi eu gosod yn ôl yn daclus.'

'Paid â siarad lol,' ebe'i frawd gan godi tywarchen ac edrych arni. Yna cododd un arall ac un arall.

'Rwyt ti'n iawn, Siôn,' meddai toc. 'Mae rhywun wedi bod yn tyllu yma ac wedi rhoi'r cwbl yn ôl mor ofalus fel ei bod yn amhosib bron dweud i'r ddaear gael ei symud o gwbl.'

Roedd wynebau'r ddau yn cochi mewn cyffro wrth iddynt ddechrau tyllu i'r pridd meddal o dan y tyweirch.

'Trysor, Siôn, trysor!' gwaeddodd Tudur toc pan ddaeth sach gref i'r golwg.

Ymdrechodd y ddau i'w chodi ond roedd yn llawer rhy drwm iddynt. Aethant ati i ddatod y rhaff oedd yn clymu ceg y sach yn dynn. Cawsant gryn drafferth . . . ond yna ar ôl byseddu'r rhaff am yn hir, roedd ceg y sach yn llydan agored.

'Wyt ti'n coelio nawr 'te?' Clywodd Tudur ei frawd yn gweiddi'n fuddugoliaethus wrth ei ysgwydd pan ddis-

gleiriodd yr haul ar yr aur a'r arian
oedd yn llenwi'r sach.

PENNOD 3

Safodd Siôn a Tudur yn hollol lonydd ac yn hollol fud am funudau hirion gan syllu ar y sach agored yn y twll o'u blaenau. Roedd yn llawn o drysorau—breichledau o aur, canhwyllbrennau o arian, modrwyau di-ri a gemau gwerthfawr yn wincio arnynt, cwpanau arian a degau o watsys aur pur. Er nad oedd yr un o'r ddau yn disgleirio mewn mathemateg yn yr ysgol, roedd digon yn eu pennau i sylweddoli fod ffortiwn yn eu dwylo.

'Rydan ni'n gyfoethog, Siôn!' gwaeddodd Tudur toc, wedi anghofio popeth am ginio a'r cerydd fyddai yn eu disgwyl yn y garafán. 'Mae yna werth miloedd o bunnoedd fan hyn.'

Ond yna'n sydyn dechreuodd Siôn hel y cwbl yn ôl i'r sach a chlymu ei cheg unwaith eto. Edrychodd o'i amgylch yn ofalus fel pe bai arno ofn i rywun ei weld.

'Be wyt ti'n ei wneud? Ni piau'r cwbl!' ebe Tudur yn wyllt wrth weld ei frawd yn dechrau rhawio'r pridd yn ôl ar y sach. 'Fe wnes i ddarllen yn

rhywle mai pwy bynnag sydd yn dod o hyd i drysor fydd ei berchennog wedyn. Mae o yn dweud yn . . .'

'Rwyt ti'n siarad lol, Tudur,' ebe Siôn ar ei draws yn ddwys.

'Ond mae o'n dweud yn y llyfr . . .'

'Fe wn i ei fod yn dweud yn y llyfr,' cododd Siôn ei lais wrth iddo ddechrau colli ei amynedd â'i frawd. 'Ond trysorau wedi eu cuddio gan hen fôr-ladron a phobl ers talwm ydi hynny, pobl yr un fath â'r Rhufeiniaid a phethau felly. Ond pethau wedi eu dwyn ydi'r rhain. Dydyn nhw ddim wedi bod yn y ddaear yma ers llawer. Mae rhywun wedi eu cuddio yn ddiweddar.'

Yna, stopiodd ac aeth ei wyneb fel lludw. Dechreuodd ei law grynu wrth iddo wasgu coes y rhaw fechan yn dynn.

'Siôn, wyt ti'n iawn?' gofynnodd Tudur a phryder lond ei lais. 'Rwyt ti fel petaet ti wedi gweld ysbryd. Be sy? Wyt ti'n iawn?'

'Y . . . y . . . yr hen ddyn mawr yna,' dechreuodd Siôn a'i lais yn grynedig.

'Yr hen ddyn yna. Rydw i'n cofio rŵan.'

'Pa ddyn? Am be aflwydd wyt ti'n sôn, fachgen?'

'Ond yr hen ddyn mawr yna a redodd o'r fynwent yma gynnau. Rydw i'n cofio ble y gwelais i o o'r blaen.'

Eisteddodd Siôn i lawr yn araf a dechreuodd y gwrid ddychwelyd i'w ruddiau.

'Roedd ei lun o yn y papur ryw bythefnos yn ôl,' meddai, '. . . cyn i ni ddod ar ein gwyliau. Dwyt ti ddim yn cofio Dad yn ei ddangos i Mam ac yn dweud mai i'r fan honno, lle'r oedd y polîs yn chwilio amdano, yr oedden ni yn dod ar ein gwyliau?'

Tro Tudur oedd hi i welwi yn awr.

'Roedd y papur yn dweud ei fod wedi dianc o'r carchar,' meddai'n ddistaw bach fel pe bai arno ofn i rywun ei glywed. 'Ac roedd y polîs yn chwilio amdano y ffordd yma.'

'Dyna ti. Roedd rhywun wedi dwyn gwerth miloedd o bunnoedd o bethau o siop gemydd yn y dref acw, ac wedi saethu'r gemydd wrth wneud hynny.'

'. . . A'r polîs yn dweud ei fod yn beryglus dros ben,' ebe Tudur gan godi ar ei draed yn frysiog a dechrau llenwi gweddill y twll â'r pridd a'r tyweirch.

'Rhaid i ni fynd i ddweud wrth y polîs,' meddai Siôn yn sydyn. 'Mae'r dynion yna wedi cuddio'r trysorau fan hyn am ryw reswm. Does dim amheu-aeth nad dyma'r pethau a ddygwyd o siop y gemydd. Cer di i nôl y Sarjant, Tudur, ac fe arhosa i fan yma rhag ofn i rywun arall ddod ar draws y trysor . . . A brysia!' ychwanegodd gan wthio ei frawd at y beic. 'Brysia! Dwed wrth . . .'

Arhosodd yn sydyn ar hanner brawdd-eg. Edrychodd y ddau i fyw llygaid ei gilydd.

'Tudur,' ebe Siôn yn araf toc. 'Sawl swyddfa heddlu sydd yn y lle yma?'

'Dim ond un, am wn i,' atebodd ei frawd ac ychydig o ofn yn ei lygaid.

Ysgydwodd Siôn ei ben yn araf.

'Fe wyddost be ddywedodd y Sarjant yna . . .' meddai.

'. . . Ond bydd rhaid iddo fy nghredu i.'

'Fe fydd yn ein rhoi ni yn y gell os awn ni yn agos i'w swyddfa, Tudur.'

Bu'r ddau yn pendroni'n hir ac yna meddai Siôn yn sydyn,

'Cer i nôl Dad, siŵr. Mi fydd o yn ein coelio ni.'

'Fyddi di'n iawn, Siôn?' gofynnodd ei frawd cyn neidio ar ei feic.

'Wrth gwrs y bydda i'n iawn,' atebodd Siôn yn ddewr—er nad oedd yn teimlo'n rhy ddewr. 'Mi fydd yna wobr dda am ddod o hyd i'r trysorau yma. Brysia, wnei di.'

Gwyliodd Tudur yn cychwyn ymaith ar ei feic.

'Tudur,' gwaeddodd ar ei ôl yn wyllt gan edrych o'i amgylch yn ofnus.

Arhosodd Tudur, ac un droed ar y llawr. 'Ie?'

'O, dim byd,' ebe Siôn. 'Cofia roi'r teclyn yn ôl yng nghist y car.'

I ffwrdd â Tudur ar ei feic a dechreuodd Siôn deimlo'n unig. Roedd ofn yn cnoi yng ngwaelod ei stumog.

Unwaith neu ddwy aeth at ei feic a'i godi. Yna ailfeddwl a'i ddodi yn ôl ar y glaswellt, a dychwelyd i'r fynwent wrth yr hen eglwys.

Cofiodd am yr holl straeon ysbryd a glywsai erioed. Caeodd ei lygaid yn dynn a cheisio meddwl am bethau eraill. Neidiodd o'i groen bron pan ehedodd aderyn yn swnllyd o'r goeden wrth y wal a chwarddodd yn uchel wrth ei weld ei hunan yn gymaint o fabi.

'Does dim byd yna, siŵr,' meddai'n uchel wrth ei hunan gan edrych dros y wal ar hyd y ffordd.

Beth petai'n nosi cyn i Tudur a'i dad ddychwelyd, meddyliodd wedyn. Aeth at y beic a'i godi. Yna chwarddodd yn uchel eto wrth sylweddoli nad oedd ond yn ganol y prynhawn. Roedd oriau eto cyn y nos a'i ysbrydion.

Cofiodd yn sydyn nad oedd wedi cael ei ginio a dechreuodd y dŵr redeg rhwng ei ddannedd wrth iddo feddwl am sglodion Mam yn frown-felyn ar y plât o'i flaen. Medrai eu harogli wrth iddo orwedd yn ôl ar y glaswellt a chau ei lygaid yn dynn.

Llamodd ei galon wrth iddo glywed sŵn yn y goedlan gerllaw, dros y ffordd i'r fynwent.

'Hei, pwy sydd yna?' gwaeddodd.

Clywai sŵn traed yn nesáu, sŵn brigau crin yn torri o dan esgid drom.

'Pwy sydd yna?' gwaeddodd eto, yn uwch, ond ni ddaeth ateb o unman.

Yn sydyn gwelodd y gŵr yn dod tuag ato o'r coed, yr un gŵr bychan ag a welsai yn dod o'r fynwent, gyda'r dyn a ddihangodd o'r carchar.

'O! mam bach!' gwaeddodd Siôn gan unioni'r beic i ruthro oddi yno am ei fywyd.

'Dal o, Mwsi,' gwaeddodd y gŵr bychan, tew, a theimlodd Siôn law drom yn syrthio ar ei ysgwydd ac yn ei gwasgu.

Trodd a gweld y cawr chwe throed-fedd a'r graith ar ei wyneb yn gwenu'n hyll arno.

'Mae o gen i, Robaits,' meddai'r gŵr, ac yna ychwanegodd yn flin gan ysgwyd Siôn nes bod pob asgwrn yn ei

gorff yn teimlo'n rhydd, 'Busnesa, aiê?' Roedd ei lais fel taran wrth iddo godi'r bachgen oddi ar y beic fel petai yn ddim mwy na doli glwt. 'Roeddwn i'n amau y bore yma nad oeddet ti ar berwyl da, llanc.'

'Na, na, dydw i ddim yn busnesa,' llefodd Siôn wrth i law Mwsi gau fel bawd cranc am ei arddwrn a'i dynnu tuag at y fynwent.

Erbyn hyn roedd Robaits wedi cyrraedd atynt. Brysiodd tua'r gornel lle'r oedd y trysor, a daeth gwg i'w wyneb.

'Mae'r cena bach wedi bod yn tyllu yma,' meddai.

'Na, na, dydw i'n gwybod dim byd,' gwaeddodd Siôn wrth i Mwsi wasgu ei arddwrn yn dynnach.

'Fe fyddi di'n talu'n ddrud am hyn, llanc,' meddai rhwng ei ddannedd.

Yna trodd at Robaits ac ychwanegu'n frysiog, 'Mae'n hen bryd i ni ei chychwyn hi oddi yma. Cer i nôl y fen, wnei di, a gwna'n siŵr nad oes neb yn dy wylio.'

I ffwrdd â'r gŵr bychan fel bwled o wn gan adael Siôn yng nghrafangau'r dihiryn arall.

'Rŵan,' gollyngodd y cawr ei afael ynddo, 'cymer di'r rhaw fach yna a gad i mi dy weld yn turio am y trysor. A phaid ti â hel hen syniadau gwirion am ddianc neu mi fydda i'n dy gladdu di yn y twll yna yn lle'r sach. Wyt ti'n deall?'

'Y . . . y . . . y . . . ydw,' ebychodd Siôn yn ddagreuol gan fynd ati i dyllu.

Unwaith neu ddwy meddyliodd am gymryd y goes oddi yno ond wedi syllu ar goesau hirion Mwsi gwyddai nad oedd obaith iddo fedru dianc.

Pan ddaeth Robaits yn ei ôl gyda'r fen goch, roedd Mwsi wedi tynnu'r sach drom i'r wyneb. Cododd hi ar ei ysgwydd heb drafferth ac yna ei thaflu i du ôl y fen.

'A beth am hwn?' gofynnodd Robaits gan afael yng ngwallt Siôn a'i dynnu yn frwnt. 'Fedrwn ni ddim gadael y bwystfil fan hyn. Mae'n gwybod gormod.'

Edrychodd Mwsi yn gas ar y bachgen. Yna gwenodd. Gafaelodd yn ei war a'i godi'n glir oddi ar y llawr cyn ei daflu i du ôl y fen ar ôl y sach.

'Fe awn ni ag o efo ni,' meddai. 'Efo'r trysor yr oedd o *isio* bod, ac efo'r trysor y *caiff* o fod!'

41

Suddodd calon Siôn wrth iddo glywed sŵn drws y fen yn cael ei gloi ar ei ôl. Yna taniwyd yr injan ac i ffwrdd â hwy ar draws y wlad, a phob asgwrn yn ei gorff yn brifo wrth iddo gael ei ysgwyd yn ôl a blaen yng nghefn fen y dihirod.

PENNOD 4

Teimlai Siôn fel wylo'n hidl. Roedd hi'n dywyll yn y cefn heb ddim ond y sach i gadw cwmni iddo. Dechreuodd guro'r drws mewn cynddaredd ond nid oedd modd ei agor ond o'r ochr arall.

Yn sydyn sylweddolodd nad oedd y drws yn cau yn hollol dynn a bod rhimyn melyn o olau yn dod i mewn drwy'r agen fechan oedd rhwng y ddau drws. Pwysodd ei lygaid yn ei herbyn a llwyddo i weld rhyw ychydig trwyddi. Roedd y fen yn troi o'r ffordd gul a arweiniai heibio i'r hen eglwys a dyma galon Siôn yn llamu wrth iddo weld car y polîs yn mynd heibio iddynt.

'Help! Help!' gwaeddodd nerth esgyrn ei ben, ond roedd gormod o sŵn gan y fen i neb fedru ei glywed.

Diflannodd car y polîs o'i olwg. Roedd y fen ar groesffordd yn awr ac yn troi i'r chwith. Petai o ddim ond yn medru gadael arwydd neu lwybr i ddangos i'w dad a Tudur i ble yr oedd wedi mynd! Roedd tuniau yn llawn paent yn y fen. Gollwng peth ohono drwy'r hollt yn y drysau ôl, efallai? Ond suddodd ei galon drachefn wrth iddo sylweddoli na wyddai Tudur ddim byd am y paent. Dechreuodd ei galon gyflymu eto wrth iddo deimlo'r cardiau arwyr pêl-droed yn ei boced. Roedd digonedd ohonynt, tua thri chant i gyd. Tynnodd un allan. Tybed? Gwyddai fod ei frawd yn meddwl y byd ohonynt ac wedi eu hel yn ddiwyd ers chwe mis bron . . . ond ar y llaw arall, gwyddai nad oedd dim byd arall y medrai ei wneud i'w achub ei hun.

Wrth i'r fen droi i'r chwith ar y groesffordd gwthiodd gardiau drwy'r hollt yn y drysau ôl. Yna cyfrif hyd at saith cyn gollwng un arall. Un, dau, tri, pedwar, pump, chwech, saith . . . ac un arall. Teimlai'n well yn barod ac roedd ei galon yn dechrau curo'n arafach pan ddaeth y fen at groes-ffordd arall. Troi i'r dde fan hyn a phostiodd Siôn ragor o gardiau drwy'r hollt i'r ffordd fawr o'i ôl.

Gobeithiai na fyddai ei siwrnai yn rhy hir. Ond ni fu raid iddo boeni. Ymhen deng munud union cyrhaeddodd y fen ben ei thaith ac aros wrth ymyl hen felin wynt a safai yng nghanol cae bychan yn llawn o goed a mieri. Lle ardderchog i chwarae

ynddo, meddyliodd Siôn. Piti na fyddai ef a'i frawd wedi gweld y lle o'r blaen. Ni fedrai fod ymhell iawn o'r garafán . . .

'Allan!' gwaeddodd Mwsi gan agor y drws a thynnu Siôn o'i gell.

Wedi iddo gael ei ysgwyd yn ddibaid yng nghefn y fen teimlai Siôn bob cymal o'i gorff yn ei boeni fel pe bai rhywun wedi ei gicio ar hyd y ffordd. Gafaelodd Robaits yn ei fraich yn frwnt a'i wthio o'i flaen tua drws y felin, a chododd y llall y sach a'u dilyn. Drwy'r drws â hwy ac i fyny grisiau derw nes dod at ystafell fechan sgwâr ym mhen uchaf y felin. Nid oedd ffenest o gwbl iddi na dodrefn ychwaith, dim ond llwch a hen sachau hyd y llawr ym mhobman a nifer o hen boteli mewn cornel.

Roedd un bwlb trydan gwan yn y nenfwd i daflu golau egwan ar bopeth. Trodd Robaits y golau ymlaen a rhoddodd bwniad i Siôn nes ei fod yn llyfu'r llawr llychlyd â'i drwyn.

'Aros di yn fan yna, llanc, nes i

ni benderfynu be i'w wneud efo ti!'
gwaeddodd.

Yna chwarddodd yn uchel cyn camu
allan a chloi'r drws ar ei ôl.

Gwrandawodd Siôn ar sŵn yr all-
wedd yn y clo. Rhedodd at y drws praff
a dechrau ei ddyrnu yn wyllt cyn
llithro i'r llawr ac aros yno'n sypyn

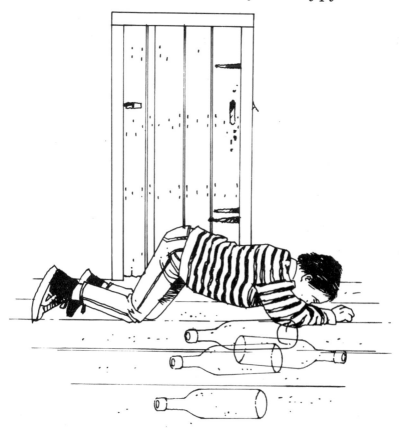

blêr wedi blino'n lân. Neidiodd ar ei draed pan ddaeth sŵn crafu o'r gornel. Sleifiodd llygoden fawr heibio iddo, ei llygaid fel dau dân yng ngolau'r trydan. Diflannodd i dwll oedd yn y llawr, a gadael Siôn i ochneidio mewn rhyddhad. Yna sylwodd bod golau yn dod drwy'r twll. Er cymaint ei atgasedd o lygod mawr, mentrodd tuag at y twll. Gorweddodd ar y llawr pren a rhoi ei lygad wrtho.

Drwy'r twll medrai weld yr ystafell islaw. Roedd yno ychydig o ddodrefn— cadeiriau, bwrdd, cwpwrdd neu ddau. Roedd ei ddau elyn yno hefyd. Eisteddai'r ddau wrth y bwrdd yn syllu ar y trysorau o'r sach. Gwrandawodd Siôn yn astud ar eu sgwrs.

'Fe fyddwn ni'n saff yr adeg yma fory,' clywai lais Mwsi.

'Pa bryd mae'r awyren yn cyrraedd?' gofynnodd y llall.

'Hanner dydd union. Dim eiliad ynghynt a dim eiliad yn hwyrach. Bydd rhaid i ni fod yn y maes awyr i'r funud.'

'A beth am y bychan yna i fyny'r grisiau?' gofynnodd Robaits yn araf.

'Dydw i ddim wedi penderfynu eto,' oedd ateb Mwsi. Yna ychwanegodd yn araf, 'Ar hyn o bryd rydw i'n teimlo fel mynd ag o efo ni a'i daflu i'r môr cyn cyrraedd Ffrainc.'

Teimlodd Siôn y gwaed yn fferru yn ei wythiennau. Yna cododd yn frysiog ac aeth i archwilio muriau ei gell. Nid oedd modd mynd allan ohoni. Eisteddodd a'i gefn at y drws, cuddio ei wyneb yn ei freichiau ac wylo'n hidl.

Ni wyddai'n iawn am ba hyd y bu yno ond yn sydyn clywodd sŵn llais Mwsi yn codi mewn tymer. Brysiodd yn ôl at y twll yn y llawr a chraffu drwyddo.

Roedd rhywbeth yn digwydd oddi allan. Medrai weld y ddau ŵr yn sefyll wrth y ffenest gan syllu drwyddi, yna'n neidio'n ôl yn sydyn weithiau fel pe bai arnynt ofn i rywun eu gweld.

'Ond roeddwn i'n meddwl dy fod ti wedi ei gloi yn yr ystafell uchaf yna.' Cododd llais Mwsi mewn tymer a gwelodd Siôn ef yn gwasgu gwegil y llall nes ei fod yn gwichian fel mochyn mewn poen.

'Ond fe af i ar fy llw ei fod yn saff i fyny yna,' protestiodd Robaits yn hallt. 'Rydw i wedi ei gloi yna.'

'Felly,' gwaeddodd Mwsi gan roi ysgytwad iddo â phob gair, 'sut ar y ddaear y mae o i lawr fan yna?'

Tudur, meddyliodd Siôn a'i galon yn rasio. Tudur. Roedd y ddau yn gweld Tudur yn y cae islaw ac wedi ei gamgymryd am Siôn, fel y gwnaeth cannoedd o'u blaenau. Mae'n rhaid mai Tudur ydoedd. Ni fedrai fod yn neb arall.

Daeth gwên i'w wyneb wrth iddo weld Mwsi yn rhoi pwniad brwnt i Robaits nes ei fod yn taro'n galed yn erbyn y pared.

'Fedri di ateb, y penci?' gwaeddodd yn ei wyneb. 'Sut y medr y cnaf fod mewn dau le ar unwaith?'

Rhoddodd Robaits gic i goes y bwrdd mewn cynddaredd.

'Rydw i'n dweud wrthat ti ei fod o'n saff i fyny yna,' gwaeddodd eto. 'Mae'n amhosib iddo fedru dianc.'

'Reit,' ebe Mwsi yn sydyn gan ymestyn am allwedd fawr oedd yn hongian ar hoelen ar y wal, 'fe gawn ni weld. Cer di ar ôl y cnaf ac fe af innau i weld sut y bu mor glyfar i ddianc.'

Edrychodd Siôn o'i gwmpas yn wyllt wrth iddo glywed sŵn traed yn dod i fyny'r grisiau. Cododd un o'r poteli gweigion o'r gornel ac aeth tua'r drws. Safodd yno a'i gefn at y wal, gwddf y botel yn dynn yn ei law, a'i galon yn curo fel côr o dabyrddau yn ei fron tra rhedai'r chwys yn oer i lawr asgwrn ei gefn.

Dyna sŵn yr allwedd yn troi yn y clo a'r drws yn agor yn araf. Agorai i'w gyfeiriad a'i guddio.

'Wyt ti yna, boi bach?' Clywodd lais Mwsi yn galw arno. Yna camodd y bwystfil i ganol yr ystafell. 'Sut ar y ddaear . . . ?' dechreuodd.

Ciciodd Siôn y drws ynghau ac ar yr un pryd trawodd Mwsi ar ei ben â'r botel nes ei bod yn chwalu'n ddarnau mân. Trodd y gŵr tal i'w wynebu, ei lygaid yn groes a'i geg yn hanner agored. Safodd y bachgen yn ei

51

wynebu fel un wedi ei rewi. Yna, pan syrthiodd y cawr yn swp blêr i'r llawr ac aros yno yn llonydd, dihangodd Siôn fel mellten, a chau'r drws ar ei ôl.

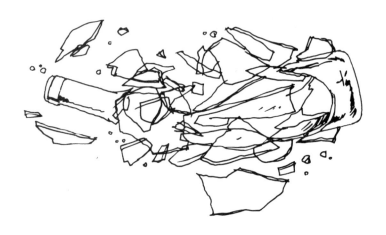

PENNOD 5

Aeth Siôn i lawr y grisiau ar flaenau ei
draed. Gwrandawodd yn astud wrth
ddrws yr ystafell fyw. Nid oedd yr un
smic i'w glywed yn unman. Agorodd y
drws yn araf ac fe'i cafodd ei hun yn yr
ystafell oedd yn union o dan yr un lle
y'i carcharwyd, yr ystafell y bu'n
edrych iddi drwy'r twll yn y to.

Brysiodd at y ffenest. Roedd ei frawd
yn prowla o gwmpas y mieri oedd yn
gorchuddio'r tir o amgylch yr hen
felin. Gwenodd Siôn wrth ei weld ac
yna gwgodd wrth sylwi ar feic Tudur
yn pwyso ar fôn coeden gerllaw. Nid
oedd olwg o'i dad yn unman.

Fferrodd ei waed wrth iddo weld
Robaits yn llechu yn y mieri wrth y
drws, yn disgwyl am Tudur. Agorodd
Siôn y ffenest yn ddistaw a gofalus.
Meddyliodd am daflu rhywbeth at y
cnaf ond roedd yn rhy bell oddi wrtho
iddo fedru gobeithio ei daro. Roedd
arno ofn gweiddi ar ei frawd gan nad

oedd yn rhy awyddus i'r gŵr a guddiai yn y mieri ei weld.

Yna'n sydyn daeth sŵn o'r ystafell uwch ei ben wrth i Mwsi ddod ato'i hun. Clywodd ef yn codi ar ei draed, yn oedi ac yna'n cerdded yn simsan at y drws gan weiddi'n groch ar Robaits.

Craffodd Siôn drwy'r ffenest a gwelodd Robaits yn codi'n sydyn ac yn edrych i gyfeiriad yr ystafell.

'Tudur!' gwaeddodd Siôn nes bod y lle yn diasbedain. 'Tudur! Gwylia fo! Mae o'n disgwyl amdanat ti.'

Cychwynnodd ei frawd oddi yno ar ras. Yr un eiliad roedd Robaits yn codi ei ddwrn at y ffenest ac yn bytheirio a chwifio ei freichiau uwch ei ben wrth redeg at ddrws y felin. Cyn mynd drwyddo cododd ddarn o bren hir o'r llawr.

'Aros di, llanc!' gwaeddodd ar Siôn. 'Aros di, fe fyddi di'n difaru'n hallt am hyn!'

Edrychodd Siôn o'i amgylch yn wyllt wrth iddo glywed sŵn traed Robaits ar y grisiau oedd yn arwain at ddrws yr ystafell. Rhythodd drwy'r

ffenest. Roedd hwyliau yr hen felin wynt o fewn cyrraedd braich. Edrychodd ar y ddaear mor bell islaw. Roedd yn beryglus, ond hwn oedd ei unig siawns.

'Tudur, aros!' gwaeddodd gan ei dynnu ei hunan drwy'r ffenest agored.

Roedd ei frawd ar ei feic yn barod. Trodd hwnnw ac edrychodd yn syn.

O'i ôl clywodd Siôn ddrws yr ystafell yn agor. Neidiodd am un o'r hwyliau hirion. Ochneidiodd mewn rhyddhad pan deimlodd ei hun yn sâff arni. Roedd ei bwysau yn dechrau gwneud i'r hwyl droi, gan ei ddwyn yn nes at y ddaear.

'Siôn, cymer ofal,' roedd ei frawd yn brysio yn ôl i'w helpu yn awr.

Hongiai Siôn wrth yr hwyl. Arhosodd eiliad ac yna gollyngodd ei afael.

Yn sydyn teimlodd boen yn rhuthro drwyddo fel pe bai ei droed yn cael ei thynnu oddi wrth weddill ei gorff. Aeth yn wyn fel y galchen, ei wyneb yn wlyb gan chwys wrth i'r boen ddod yn annioddefol bron. Ceisiodd godi ar ei draed, ond wrth iddo roi ei droed dde ar y ddaear saethodd y boen drwy ei holl gorff eto ac am eiliad aeth pob man yn dywyll arno.

'Rydw . . . rydw i wedi troi fy nhroed,' gwaeddodd ar ei frawd a'i lais yn egwan. 'Cer i nôl help, Tudur. Brysia!'

Ond yna roedd Robaits, a Mwsi i'w ganlyn, yn sefyll wrth ei ymyl a gwên lydan ar eu hwynebau hagr.

'Troi dy droed, aiê?' chwarddodd Mwsi a golwg fwy mileinig nag erioed yn y llygaid brwnt. Yna trodd i weiddi ar ôl Tudur a oedd yn cychwyn oddi yno yn wyllt, 'Mae'n well i tithau ddod yn ôl yma, y gwalch, neu mi fydda i'n troi ei droed arall iddo fo.'

Arhosodd Tudur yn ei unfan am eiliad. Edrychodd yn ôl a phan welodd Mwsi yn codi darn pren praff at ei frawd, gadawodd i'w feic syrthio i'r llawr a daeth yn ei ôl yn ddigalon.

'Dau efaill, aiê?' ebe Mwsi gan chwerthin yn aflafar. 'A thithau wedi dod i chwilio am dy frawd? Clyfar iawn. Ond fe gei di fod efo fo bellach. A chyn bore fory mae'n rhaid i ni gael

gwybod sut y cefaist ti hyd i'r ffordd yma.'

Gwaeddodd Siôn mewn poen wrth i Mwsi afael yn ei war a'i godi cyn ei gario drwy'r drws ac yn ôl i'r hen felin. I fyny â hwy unwaith eto i'r ystafell yn yr entrychion.

'Rydach chi wedi busnesa gormod bellach, hogia bach,' oedd geiriau olaf

Mwsi cyn mynd oddi yno a chloi'r drws ar ei ôl. 'Ewch chi ddim oddi yma eto.'

'Be ddigwyddodd? Ble mae Dad?' oedd cwestiwn cyntaf Siôn wrth iddo eistedd ar y llawr a'i gefn yn erbyn y mur.

'Doedd yna neb yn y garafán,' eglurodd Tudur a'i lais yn llawn dagrau. 'Roedd nodyn ar y bwrdd yn dweud ei fod o a Mam wedi mynd i chwilio am deiar newydd i'r car. Roedd y nodyn yn dweud y bydden nhw'n ôl erbyn amser te.' Edrychodd ar ei wats. 'Hanner awr wedi pedwar,' meddai. 'Maen nhw wedi darganfod ein colli ni bellach. Fe ddois i yn ôl i'r fynwent i ddweud wrthat ti ac wrth lwc fe welais y cardiau pêl-droedwyr yna. Syniad da oedd hwnna, Siôn.'

'Ond fawr o help i ni bellach.'

'Paid â phoeni. Dydy'r lle yma ddim ymhell iawn o'r hen eglwys. Mi fydd pawb yn chwilio amdanon ni erbyn hyn. Fyddan nhw fawr o dro . . .'

'Aw!' gwaeddodd Siôn ar ei draws wrth iddo dynnu ei esgid a'i hosan oddi am ei droed dde. Roedd ei droed fel balŵn ddu.

'Be ar y ddaear wnawn ni?' llefodd. 'Fedra i byth ddianc a 'nhroed i fel hyn.'

'Fedrwn ni wneud dim ond aros, Siôn,' meddai ei frawd yn ddigalon. 'Ond diolch byth ein bod ni efo'n gilydd. Mae'n well nag i ti fod ar ben dy hun.'

Dechreuodd Tudur gerdded yn ôl a blaen yn ddi-baid.

'Beth maen nhw yn feddwl ei wneud efo ni rŵan?' llefodd toc gan fynd i eistedd wrth ochr ei frawd.

'Wn i ddim,' atebodd hwnnw yn araf. 'Ond maen nhw'n disgwyl awyren i fynd â nhw i Ffrainc yn y bore.'

'Awyren? Ond . . .?'

'Fe glywais i'r ddau yn siarad.' Amneidiodd Siôn tua'r twll yn y llawr.

Aeth Tudur tuag ato a chraffu drwyddo.

'Maen nhw'n eistedd wrth y bwrdd yn chwarae efo rhywbeth yr un fath â

chloc,' meddai gan ddod yn ôl at ei frawd. 'Ew, ydi dy droed di yn brifo llawer, Siôn? Fedri di ddim cerdded un cam?'

Ysgydwodd Siôn ei ben yn ddwys.

'Mae'n amhosib,' meddai. 'Fedra i ddim rhoi fy nhroed ar y llawr . . . Teclyn? Cloc?' ychwanegodd yn sydyn wedi meddwl am ychydig.

Tynnodd ei hunan ar hyd y llawr tua'r twll. Llamodd ei galon wrth iddo weld y ddyfais oedd ar y bwrdd.

'Mae yr un fath yn union â bom, Tudur,' meddai gan droi i wynebu ei frawd. 'Bom a chloc arno. Be aflwydd maen nhw am ei wneud â bom?'

Plygodd wrth y twll eto, ei glust yn dynn wrtho.

'Fe wnaiff y tro,' clywodd lais cras Mwsi.

Roedd sŵn amheuaeth ac ofn yn llais Robaits.

'Wyt ti'n siŵr, Mwsi?' gofynnodd. 'Fedran nhw wneud dim wedi i ni fynd.'

'Maen nhw'n gwybod gormod amdanon ni, Robaits,' atebodd Mwsi, a bygwth yn ei lais. 'Maen nhw wedi busnesa gormod. Fe rown ni'r bom yma yn rhywle yn yr hen felin cyn mynd yn y bore, ac ymhen awr neu ddwy wedi i ni adael—BWM!—a fydd yna neb ar ôl i ddweud ein hanes.'

'Tudur!' Prin y medrai Siôn siarad gan y cryndod yn ei lais. 'Maen nhw am ein gadael ni wedi ein cloi fan hyn a bom hefo ni, bom fydd yn ein chwythu ni a'r hen felin i ebargofiant. Be ydan ni'n mynd i'w wneud?'

PENNOD 6

Roedd Tudur yn rhedeg o gwmpas yr ystafell fel creadur gwyllt. Yna dechreuodd guro'r drws yn ddidrugaredd nes clywed sŵn traed Mwsi yn dod i fyny'r grisiau a sŵn ei lais yn gweiddi arnynt,

'Distaw, y cnafon bach, neu mi fydda i'n dod i mewn yna efo'r pastwn yma. Ydach chi'n clywed?'

'Wnawn ni ddim dweud wrth neb amdanoch chi,' llefodd Tudur. 'Gadewch i ni fynd! Wnawn ni ddim . . .'

Ond roedd sŵn y traed yn pellhau i lawr y grisiau yn barod.

Gorweddodd y ddau yn dynn wrth ochrau'i gilydd ar y llawr caled yn gwylio'r oriau yn gwibio heibio. Roedd hi'n nos erbyn hyn. Gwyddent y byddai eu mam a'u tad a'r polîs yn chwilio amdanynt ond gwyddent hefyd, â chalonnau trymion, nad oedd llawer o obaith i neb ddod o hyd iddynt am ddyddiau. Roedd cwsg ymhell o amrannau'r ddau, ond wedi hanner nos deuai sŵn chwyrnu uchel bob hyn a hyn o'r ystafell islaw iddynt—arwydd nad oedd dim byd yn atal cwsg melys y ddau ddihiryn!

'Faint o'r gloch ydi hi?' gofynnodd Siôn am y canfed tro.

Craffodd ei frawd ar ei wats.

'Hanner awr wedi pedwar,' atebodd a'i lygaid yn gochion gan ofn yn gymysg â blinder.

'Hanner awr wedi pedwar yn y bore?'

'Ie.'

'Tudur,' ebe Siôn yn araf, 'fedri di ddianc oddi yma yn y tywyllwch?'

'Paid â siarad lol,' ebe'r llall.

'Fedri di?' cododd llais Siôn yn wyllt.

'Pe bai'r drws yna yn agor, fyddet ti yn medru mynd i lawr y grisiau yna ac allan, a mynd yr holl ffordd yn ôl i'r garafán yn y nos?'

'Medrwn siŵr. Mae'r beic gen i. Ond . . .'

'Reit 'ta.' Roedd rhyw hyder newydd yn llais Siôn. 'Bydd di'n barod pan fydd y drws yna yn agor.'

'Ond wnaiff y drws byth agor, Siôn.' Brysiodd Tudur at ei ymyl a rhoi ei law ar dalcen ei frawd. 'Rwyt ti'n dechrau dychmygu pethau,' meddai. 'Mae gen ti wres. Y droed yna . . .'

'Rydw i'n iawn.' Ceisiodd Siôn godi ar ei draed.

Rhoddodd Tudur ei fraich o dan ei ysgwydd i'w helpu. Yna pwysodd Siôn yn erbyn y wal, gan sefyll yno ar un droed, y chwys yn llifo'n ffrydiau i lawr ei ruddiau wedi'r ymdrech i godi.

'Gwna di yn union fel rydw i yn dweud,' siarsiodd ei frawd. 'Fe fydd y drws yna yn agored i ti toc ac mi fydd yr holl felin yma mewn tywyllwch.'

Edrychodd Tudur yn hurt arno. Roedd yn dal i gredu fod y boen yn ei droed yn ormod i'w frawd.

'Gwaedda ar y dynion yna,' ebe Siôn.

'Gweiddi arnyn nhw? Ond maen nhw'n cysgu,' ebe Tudur gan edrych yn hurt eto.

'Wel, deffra nhw 'ta,' ebe Siôn, yn dechrau colli ei amynedd yn llwyr. 'Cyn gynted ag y bydd y drws yna yn agored i ti, drwyddo â thi fel milgi. Wyt ti'n deall?

'Ond fedra i mo dy adael di fan hyn ar drugaredd y ddau fwystfil yna, Siôn,' protestiodd ei frawd.

'Mae'n rhaid i ti fynd, Tudur,' ebe Siôn gan frathu ei wefl mewn poen. 'Fedra i ddim symud oddi yma i chwilio am help, felly mae'n rhaid i ti fynd. Rŵan gwaedda ar y dynion yna, neu bydd yn olau dydd.'

'Ond eu deffro i be?'

'Gwaedda ar y ddau, wnei di? Dywed wrthyn nhw fy mod i'n sâl a gofyn iddyn nhw am ddiod o ddŵr. Gwna ddigon o sŵn i ddeffro'r meirw. Dyma'n hunig siawns ni.'

Ysgydwodd Tudur ei ben yn araf ond dechreuodd weiddi i blesio ei frawd.

'Hei, hei, deffrwch!' gwaeddodd nerth esgyrn ei ben. Ciciodd y drws, dyrnodd arno, neidiodd i fyny ac i lawr nes bod yr holl ystafell yn siglo. Aeth deng munud heibio . . . ac yna chwarter awr . . . Roedd Tudur yn dechrau blino pan glywsant sŵn traed yn brysio i fyny'r grisiau.

'Distaw!' bloeddiodd Robaits gan roi dyrnod i'r drws nes ei daflu oddi ar y bachau bron. 'Ydach chi'n clywed, y 'nialwch â chi? Byddwch ddistaw! Sut mae posib i ddyn gael ei gwsg a phethau fel chi yn . . .'

'Dŵr!' llefodd Tudur gan wneud sŵn fel petai yn wylo. 'Diod o ddŵr i Siôn, plîs! Mae o'n sâl. Mae ei droed o wedi chwyddo ac mae o mewn poen.'

'Wel, ei fai o ydi hynny,' gwaeddodd Robaits drwy'r drws gan gychwyn i lawr y grisiau.

Ond daliodd Tudur ati. Dechreuodd gicio'r drws eto a gweiddi nes ei fod yn crygu.

'O'r aflwydd, aros funud!' clywsant y gŵr yn oedi am eiliad ac yna yn mynd i lawr y grisiau.

Daeth yn ei ôl ymhen munud neu ddau.

'Ewch i sefyll a'ch cefnau ar y wal bellaf oddi wrth y drws yma,' gwaedd-odd arnynt wrth gofio beth ddigwydd-odd ynghynt y noswaith honno. 'Dim triciau, cofiwch!'

Agorodd y drws yn araf a gofalus.
Roedd llond jwg o ddŵr ganddo yn ei
law. Wedi sicrhau fod y ddau yn sefyll
wrth y wal gyferbyn â'r drws ac nad
oedd yr un arf yn eu dwylo, camodd i'r
ystafell a rhoddodd y jwg ddŵr i Siôn.

'Gad i mi weld dy . . .' dechreuodd.

'Rhed, Tudur,' gwaeddodd Siôn ac ar yr un eiliad taflodd y dŵr dros y bwlb trydan a hongiai o'r nenfwd.

Daeth clec fel clec bwled. Plygodd y tri eu pennau wrth i'r gawod o wydr mân syrthio o'u hamgylch. Taflwyd yr holl adeilad i dywyllwch dudew wrth i'r dŵr ffrwydro ar y gwifrau trydan, yn union fel y cynllwyniodd Siôn.

'B . . b . . be . . ?' Roedd Robaits yn crafangu o gwmpas yr ystafell yn wyllt. Baglodd ar draws coesau'r bachgen a syrthio'n glwt ar y llawr.

Yna clywyd sŵn Mwsi yn dod i fyny'r grisiau.

'Be aflwydd ddigwyddodd?' meddai o'r drws agored. 'Robaits, wyt ti yna?'

Tynnodd oleuwr sigarét o'i boced a'i danio, a fflachiodd golau egwan am eiliad ar wynebau Siôn a Robaits.

'Y llall, ble mae'r llall?' gwaeddodd Mwsi yn wyllt wrth weld bod Tudur wedi diflannu. 'Y mwnci clwt,' ychwanegodd gan sgrechian yn wyneb gwelw ei gyfaill. 'Rwyt ti wedi

71

gadael iddo ddianc. Mae'r cnaf bach wedi mynd.'

Aeth yn ei ôl i lawr y grisiau a chwarddodd Siôn wrth ei glywed yn llithro arnynt yn y tywyllwch.

'Paid ti â chwerthin, y llanc,' clywodd lais Robaits o'r düwch. 'Mi fydd yn edifar gen ti am hyn. Dydi Mwsi ddim yn rhy hoff o hen blant yn gwneud ffŵl ohono.'

Toc daeth y llall yn ei ôl a fflachlamp yn ei law. Roedd golwg filain arno wrth iddo sefyll yno yn wynebu Siôn.

'Mae o wedi mynd,' meddai. 'Ond bydd rhaid i ti dalu am hyn, gyfaill. Robaits,' trodd at ei bartner ac ychwanegu, 'rhaid i ni fynd cyn gynted ag y medrwn ni rŵan. Fedrwn ni ddim fforddio aros fan hyn nes daw'r gwalch arall yn ôl efo'r polîs. Cer i lwytho'r taclau i'r fen.'

'Ond dydi'r awyren ddim yn dod tan hanner dydd, Mwsi, a dydan ni ddim wedi cael fawr o gwsg,' dechreuodd Robaits brotestio'n hallt.

'Symud hi, wnei di!' cyfarthodd Mwsi gan ei fygwth â'i ddwrn. 'Fe

72

gymer awr dda i ni gyrraedd y lanfa yn yr hen fen. Mae digon o le i ymguddio yno nes y daw Pierre . . . Rŵan, mae hi bron â gwawrio. Brysia!'

Teimlai Siôn yn fwy unig nag erioed wedi iddynt ei gloi yn ei ystafell unwaith eto. Roedd hi'n dywyll fel y fagddu yno yn awr wedi iddo ddifetha'r golau, yn enwedig gan nad oedd ffenest o gwbl i'r lle. Toc, clywodd gôr o adar yn canu oddi allan a daeth llafn egwan o olau i'r ystafell drwy dwll y clo. Gwyddai ei bod yn olau dydd er ei bod yn dal yn nos dywyll yn y gell unig.

Aeth bron i awr arall heibio, a chodai ei obeithion gyda phob eiliad. Tybed a lwyddai Tudur a Dad i ddod yn ôl cyn i'r ddau ddihiryn fedru dianc? Ond, i darfu ar ei feddyliau, dyma sŵn traed yn aros wrth ddrws ei gell a sŵn allwedd yn y clo.

Ffrydiodd golau dydd i'r ystafell o'r ffenest fechan ar ben y grisiau. Roedd y drws yn llydan agored a Mwsi yn sefyll yno a gwên lydan ar ei wyneb.

'Amser ffarwelio, gyfaill,' meddai. '... A rhag ofn i ti fedru dweud gormod amdanom wrth y siwtiau glas yna, rydw i wedi cuddio bom yn yr hen felin yma. Ymhen ychydig ar ôl i ni ymadael bydd yn ffrwydro, a bydd y cwbl yn mynd yn rhacs jibidêrs ... a thithau efo hi! Piti fod rhaid i ni dy gloi di fan hyn!'

Roedd pob dafn o waed wedi diferu o wyneb Siôn. Teimlai ei ben yn troi a gwelai'r ystafell yn mynd fel chwrligwgan o'i gwmpas.

'... A rhag ofn i'r polîs ddod yn ôl cyn hynny,' ebe Mwsi a'i lygaid creulon yn llawn casineb, 'edrych di drwy dwll y clo wedi i mi gloi'r drws yma, i ti gael gweld.'

'Na! Na!' ceisiodd Siôn godi ar ei draed.

Ond aeth Mwsi allan yn hamddenol a chloi'r drws ar ei ôl. Clywodd y bachgen ef yn tynnu'r allwedd o'r clo ac yna yn agor y ffenest oedd ar ben y grisiau. Tynnodd Siôn ei hunan ar hyd y llawr a phwysodd ei lygad wrth dwll y clo. Drwyddo medrai weld wyneb

llawn Mwsi yn gwenu arno, a'r ffenest
agored o'r tu ôl iddo.

'Weli di hi?' gwaeddodd y gŵr gan
ddangos yr allwedd i Siôn. 'Nawr
edrych!' Taflodd yr allwedd drwy'r
ffenest. 'Fe gymer oriau iddyn nhw
ddod o hyd iddi yn yr holl fieri yna,'
meddai.

Yna, y funud nesaf, doedd dim i'w glywed ond sŵn chwerthin aflafar Mwsi a sŵn ei draed yn diflannu yn y pellter.

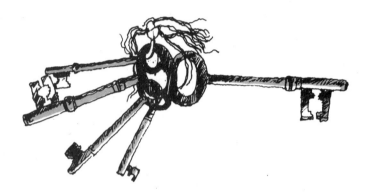

PENNOD 7

Ni chafodd Siôn lawer o amser i boeni am ei gyflwr. Ymhen deng munud ar ôl iddo glywed sŵn y fen goch yn diflannu yn y pellter, roedd sŵn car arall yn nesáu. Daeth tuag at y felin yn wyllt a'i frêcs yn sgrechian wrth iddo aros yn sydyn wrth y drws.

'Siôn! Siôn!' clywodd lais ei frawd ac yna sŵn traed yn brysio i fyny'r grisiau. Clywodd lais Dad yn gweiddi arno a sŵn y drws yn cael ei guro a'i ysgwyd.

'Maen nhw wedi taflu'r allwedd,' llefodd Siôn. 'Mae yna fom yma yn rhywle. Bydd yn ffrwydro ymhen ychydig. Gwnewch rywbeth! Brysiwch! Plîs!'

'Ble mae'r allwedd?' gwaeddodd ei dad a'i lais yn codi mewn cyffro.

'Ond fedrwch chi byth ddod o hyd iddi,' ebe Siôn. 'Mae hi yng nghanol y mieri o dan y ffenest yna sydd ar ben y grisiau.'

Clywodd ei dad yn agor y ffenest ac yna'n ochneidio'n uchel cyn dod i guro'r drws yn galed.

'Rhaid i ni guro'r drws yma i lawr,' gwaeddodd gan ddechrau cicio a dyrnu yn wyllt.

'Y darganfyddwr metel!' Clywodd lais Tudur yn gweiddi'n gyffrous. 'Mae o yng nghefn y car. Fyddwn ni fawr o dro yn dod o hyd i'r allwedd efo hwnnw. Brysiwch, Dad!'

Gwrandawodd Siôn ar eu sŵn yn rhedeg i lawr y grisiau. Roedd yr amser yn rhuthro heibio ac roedd yn siŵr fod bron i hanner awr wedi mynd heibio er pan adawodd y ddau leidr yr hen felin. Ni allai wneud dim ond eistedd yno yn y tywyllwch, ei galon yn curo fel gordd yn ei wddf a'r chwys yn rhedeg i lawr asgwrn ei gefn wrth iddo gofio geiriau olaf Mwsi.

Yna'n sydyn dyma sŵn traed yn brysio i fyny'r grisiau. Daeth sŵn anadlu trwm wrth y drws, sŵn all-wedd yn troi yn y clo a sŵn y drws yn agor.

'Dad!' llefodd Siôn wrth i'w dad gamu tuag ato.

Cododd ei dad ef yn ei freichiau a'i gario i lawr y grisiau, y bachgen yn siarad yn ddi-baid am yr holl ddigwyddiadau.

'Rydan ni wedi poeni ein henaid,' ebe'i dad. 'Pan ddaeth dy fam a minnau yn ôl wedi bod yn chwilio am y teiar felltith yna i'r car, a sylweddoli nad oeddech chi yn y garafán, fe aethon ni yn syth at y polîs. Rydan ni wedi bod yn chwilio amdanoch chi drwy'r nos. Mae'r polîs yn dal i chwilio. Fe aeth Tudur a minnau i'r swyddfa rŵan ar ein ffordd yma a doedd neb yno, ond rydan ni wedi gadael neges.'

Wedi iddynt gyrraedd y car rhoddwyd Siôn i orwedd yn y sedd ôl ac yna i ffwrdd â hwy. Stopiodd y tad y car pan oeddynt filltir neu ddwy oddi wrth yr hen felin.

'Awyren, ddywedaist ti?' gofynnodd gan ymestyn am y map o'r boced yn nrws y car. 'Mae'n rhaid i awyren lanio yn rhywle. Dydw i ddim yn meddwl fod y ddau walch yna yn mynd i faes awyr fel pawb cyffredin. Mae'r heddlu yn chwilio amdanyn nhw! Nawr, ble ar y ddaear y gall awyren lanio'r ffordd hyn?'

'Roedden nhw am gymryd rhyw awr i gyrraedd y lle a dydi'r hen fen goch yna ddim yn un gyflym iawn,' eglurodd Siôn.

'Awr mewn hen fen? Mynd ar gyflymder o bedwar deg milltir yr awr, efallai,' meddai ei dad toc gan astudio'r map. 'Dewch i ni gael golwg be sy tua deugain milltir o'r fan yma.'

Rhedodd ei fys ar draws y map.

'A!' meddai'n sydyn. 'Fan hyn. Edrychwch . . . mae'n bedwar deg pump o filltiroedd o'r hen felin. Hen faes awyr ers amser y rhyfel flynyddoedd yn ôl. Does neb yn ei ddefnyddio y dyddiau yma. Lle bendigedig i awyren lanio ar berwyl drwg, dybiwn i! Does yna ddim tŷ na thwlc o fewn milltiroedd i'r lle. Gafaelwch yn eich hetiau, hogia!'

Cyn iddo orffen siarad daeth sŵn ffrwydro o'u holau a'r ddaear yn crynu dan olwynion y car.

'Y bom,' llefodd Tudur gan edrych yn ôl. 'Mae wedi ffrwydro.'

Yn y pellter codai colofn o fwg du yn ddiog i'r awyr. Roedd yr hen felin wedi diflannu'n llwyr oddi ar wyneb y ddaear.

Ochneidiodd Dad yn uchel.

'Diolch i'r drefn nad oedd neb ynddi mwyach,' meddai'n ddwys. Yna pwysodd ei droed yn dynn ar y sbardun ac i ffwrdd â'r car fel bwled allan o wn. 'Mae'n rhaid i ni eu dal nhw,' ebe Dad. 'Gobeithio yn enw popeth ein bod ni ar y trywydd iawn.'

'Fe ddylen ni fod wedi aros am y polîs,' meddai'n ddwys toc. 'Ond fedrwn i ddim meddwl aros eiliad a thithau mewn trybini, Siôn. Ac roedd dy fam druan yn mynd o'i cho bron, yn poeni amdanat ti.'

Gyrrodd y tad fel dyn gwallgof drwy'r pentrefi a'r trefi, a'r ychydig yrwyr eraill a oedd hyd y lle yr adeg honno o'r bore yn canu'r corn yn chwyrn arno.

'Mae'r car yma yn llawer cyflymach na'r hen fen yna,' meddai. 'Fe ddylen ni eu dal nhw cyn iddyn nhw gyrraedd y maes awyr.'

'A fyddan nhw ddim ar lawer o frys, fodd bynnag,' ebe Siôn. 'Mae digon o amser ganddyn nhw ac maen nhw'n meddwl fy mod i yn sâff yn yr hen felin.'

Roedden nhw allan yn y wlad unwaith eto, a choed a pholion trydan yn gwibio heibio iddynt ar ochr y ffordd. Edrychodd Dad ar ei wats.

'Fe ddylen ni fod yno bron yn awr,' meddai.

Craffodd Tudur ar y cloc cyflymdra.

'Waw! Wyth deg milltir yr awr,' meddai wrth i'r car fynd rownd tro yn y ffordd ar ddwy olwyn!

'Dad!' gwaeddodd Siôn yn wyllt o'r sedd ôl. 'Fan acw. Welwch chi rywbeth coch?'

Cododd y car yn glir o'r ffordd wrth iddo fynd dros bont gul. Yna roedd y smotyn coch yn nesáu wrth iddynt garlamu ymlaen tuag ato.

'Fe wela i'r maes awyr yn y pellter. Brysiwch!' gwaeddodd Tudur wrth i'r smotyn coch droi yn fen.

Pwysodd Dad ei droed i'r llawr bron. Rhoddodd y car naid ymlaen a rhuodd ar hyd y ffordd. Roedd pob sgriw ynddo yn gwichian yn awr, a thoc medrent

weld wyneb Robaits wrth iddo edrych
yn ôl a'u gwylio'n dod.

Mwsi oedd yn gyrru'r fen a chadwai
hi ar ganol y ffordd fel nad oedd modd
mynd heibio iddi.

Dechreuodd Dad ganu'r corn yn
wyllt, ond y cwbl a wnaeth Mwsi oedd
pwyso ei droed yn dynnach ar sbardun
y fen goch.

'Fedrwn ni byth eu dal,' cwynodd
Siôn. 'Fedrwn ni byth fynd heibio
iddyn nhw.'

Yna roedd y ffordd yn culhau, a
waliau cerrig uchel yn codi bob ochr
iddi.

'Fedrwn ni ddim mynd heibio iddyn nhw rŵan. Mae'r ffordd yn llawer rhy gul,' ebe Tudur.

Ond roedd rhyw olwg benderfynol iawn yn llygaid ei dad.

'Dyma'n hunig gyfle, fechgyn,' meddai. 'Daliwch eich gafael!'

Caeodd yr efeilliaid eu llygaid yn dynn wrth i'w tad lywio'r car i'r ochr chwith a dechrau goddiweddyd y fen.

'Ond mae'r ffordd yn rhy gul! Fe ewch i'r wal,' gwaeddodd Siôn gan agor ei lygaid yn araf.

Roedd trwyn y car yn ymwthio heibio i'r fen goch. Nid oedd fawr iawn o le iddo. Dyma sŵn metel yn taro metel. Ysgydwodd Tudur a Siôn eu pennau wrth i'r car daro yn erbyn y fen ar un ochr, ac wrth i'r ochr arall grafu cerrig y wal uchel. Yn sŵn metel yn rhygnu yn erbyn cerrig aeth y fen a'r car yn sownd yn ei gilydd rhwng y ddwy wal uchel!

'Rŵan be?' gofynnodd Siôn wedi iddynt stopio. 'Fedrwn ni ddim symud oddi yma. Bydd rhaid cael rhywun i'n tynnu yn rhydd. A fedrwn ni ddim

mynd allan. Fedrwn ni ddim agor y drws. Mae'r car yn sownd rhwng y wal uchel yna a'r fen goch ac mae'r fen yn sownd rhwng y car a'r wal yr ochr arall. Be . . . ?'

Roedd o'n dweud y gwir plaen. Roedd y ffordd mor gul fel bod y fen a'r car yn sownd yn ei gilydd rhwng y ddwy wal uchel a'r teithwyr wedi eu carcharu ynddynt.

'Wyt ti'n siŵr mai oddi allan yn unig y mae drws ôl y fen yna yn agor?' gofynnodd Dad, a gwên ar ei wyneb.

'Ydw, ond . . . ?'

'Yna fe awn ni allan i chwilio am y polîs,' ebe Dad. 'Mi fydd y ddau yna yn berffaith sâff yn y fen nes down ni yn ôl.'

'Ond fedrwn ni ddim mynd allan. Y drws . . .'

'O medrwn,' ebe Dad gan godi ar ei draed ac agor y to. 'Wyddoch chi, rydw i'n meddwl mai car a tho yn agor arno fel hwn gymera i eto hefyd. Mae'n werth y byd!'

A chan adael Siôn yno ar y sedd ôl, a'r ddau leidr yn garcharorion yn y fen goch yn ysgyrnygu eu dannedd arno, i ffwrdd â Dad a Tudur i chwilio am gymorth.